AUX PLEXUS

Illustrations :
Mivil Deschênes

Photographie de l'auteur :
Sylvain Lajoie

Dépôt légal: 4ᵉ trimestre 2010
Bibliothèque et Archives nationales du Québec
Bibliothèque et Archives Canada
ISBN 978-2-9811485-4-4

Les Éditions de l'Écrou
C.P. 810, succ. R
Montréal, QC
H2S 3M4

www.lecrou.com
info@lecrou.com

MARJOLAINE BEAUCHAMP

AUX PLEXUS

Les Éditions de l'Écrou

AUX PLEXUS

GRAND COMPLEXUS

SACRAL

SOLAIRE

Pour Marcel et Roxane
...acrobates équilibristes

S'il n'y avait une volupté secrète dans le malheur,
on conduirait les femmes accoucher à l'abattoir.

- Emil Cioran, Le crépuscule des pensées

GRAND COMPLEXUS

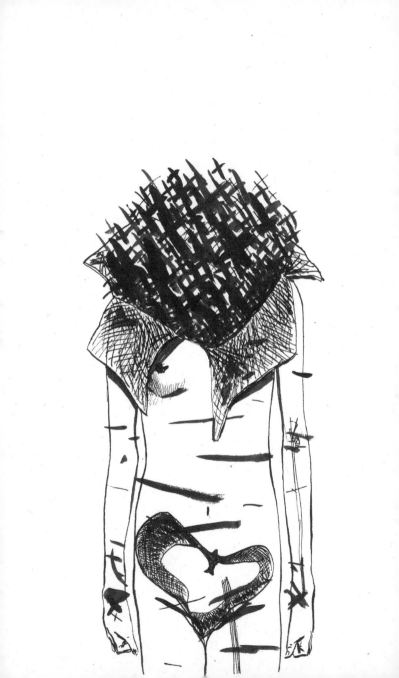

LE DORTOIR DES PRINCESSES

En cercle d'amitié
Sur nos chaises inconfortables
On se racontait la douleur
Qu'on scrapbookait dans nos cartables
Le théorème de Pythagore
Savait pas expliquer le noir
Tout partout
Qui bavait
Nous, on séchait le secondaire
Pour pouvoir dormir
Dans le dortoir des filles
Qui oubliaient souvent leur nom
Mais qui savaient pertinemment
Comment faire un nœud coulant

4E ÉTAGE

J'avais scoré les meilleurs points à *Tetris*
Ça m'avait fait des plaies de lit
Assise à attendre
Mon plateau-surprise
La journée au complet se jouait avec le lever du couvert
C'était quoi aujourd'hui au menu pour dessert

ODE

J'écrivais aux infirmières des extraits de missels
Elles me voyaient
Petite fille
En pleine grâce d'inspiration
Au beau milieu
Des matantes gâteau
Des madames pompons
Vêtues d'uniformes lunés
Pour pas faire peur aux 'tits-enfants

Je les voyais porter
Tous les seins de ma mère
Les infirmières
Toujours volantes
Comme des abeilles
Avec des cernes de *trucker*

Un cabaret de plastique vert
Charbon liquide petite paille
Moi qui voulais mourir hier
J'étais une star à l'Urgence

INSTITUT PIER-JANET ·

Je m'étais chargée de faire des crêpes pour les filles tristes
On s'ennuyait de nos p'tits frères qui avaient le mérite
d'être plus mongols que nous En dedans des murs, l'hôpital domptait les fous et on y apprenait à se bricoler des
malheurs avec les retailles des autres

***

La grosse surveillante nous faisait des massages le temps
que les pilules embarquent On jouait à RISK avec nos
plexus et c'était toujours les noirs qui gagnaient en criant
Nuke the world !

***

J'étais sûre qu'elle avait appris le piano pour enterrer le
blender de sa mère Quand elle jouait dans le salon commun on la trouvait belle comme une recette de biscuits
sans oeufs

Je jouais à *Tetris* pour oublier les chicanes de scrapboo-
king C'était mon tour à la vaisselle je cassais les verres
dans le lavabo pour me couper les mains et manquer la
session de groupe

***

Je tapissais le mur gris d'affiches de vedettes du *Lundi*
et l'haleine du gros docteur les faisait décoller Humide
Je me demandais pourquoi ça prenait un diplôme pour
décourager les gens

***

Ta face roucoulait dans ma tête t'étais amoureux de mes
cachettes Je t'écrivais sur mes bras de t'en aller mais ton
discman jouait trop fort

On avait pris l'autobus pour fêter ma permission de vivre
Je leur avais promis d'avoir le goût de crever juste en re-
venant

***

La mescaline en communion On chassait notre âge en
bécique à pédales Sur la rue des B.S. on s'était promis de
ne jamais devenir fonctionnaires au gouvernement fédé-
ral

Du mauvais bord du pont

***

Ça aurait pris une photo de groupe Pour toujours le sou-
venir des filles en lambeaux qui sentaient encore la pisse
mais qui savaient quand même comment *cruiser* le chum
de leur mère

Papa m'avait sacré une claque dans face pour que j'emballe mes insultes On avait fait des sacs pour l'Armée du Salut et je suis allée finir ma crise dans la cave avec la joue qui brûlait comme une *bit burn* sur la cuisse

***

Pendant la vaisselle la fille à face de *pornstar* qu'on haïssait parce qu'était *cute* et nouvelle en même temps nous avoua que mourir noyé c'était la mort la plus belle C'était aussi un peu mieux vu chez le docteur que d'avoir bu l'huile à fondue

***

Fallait s'asseoir en cercle, comme une secte d'abandonnées de perdues de patchées La maladie honteuse d'une coup'e de filles fiévreuses combattant le virus en le faisant proliférer

A- T -T -E - N -D -R -E

Quand t'écris chaque lettre
Attentivement
Pis que t'attends
Un peu

Ça change rien
Comme dans attendre

À L'HÔPITAL

Sous la lumière d'un néon blasé
J'te parle dans l'blanc des ailes
M'entends-tu mon ciel?

DOCTEUR GUÉRITOUT

Tu passais beaucoup de temps sur des sofas sales
Où toutes les fesses de gens poqués
Venaient conter leurs vies
Assis
À écouter le gros bonhomme mettre en pratique
Des notions des années '70
Sa grosse face de sauveur
Savait pas que le malheur
C'était comme la mode
Une nouvelle collection
À chaque saison

AUTOBIOGRAPHIE DE SATAN

C'est peut-être la faute
Du pacte avec Satan
Retranscrit de mon sang
À 16 ans, tsé
Tu réfléchis pas
C'est peut-être la faute de ça
Ben plus que celle du karma

PASSE-PARTOUT

Tu te demandais
Nerveuse
Ce que j'allais faire à ma graduation
Pour cacher les cicatrices
Sans te rassurer toi-même
Avec l'existence
Des robes à manches longues

L'HÉRITAGE

Dans un testament
On ne m'avait pas dit
Que ça se léguait mal
Un scooteur
Des CD
Pis que les pages d'un agenda
Ça faisait officieux

SOUS L'EAU

Notre vie d'anges tout nus
En parallèle avec les loups
On s'occupe
À panser en apnée
Des blessures aquatiques
Des blessures magnifiques
Éreintés de nos vies
On devient quelque chose
D'un peu plus près de notre mort

J'ai longtemps voulu
Dormir là-dessus
Je me demande encore si c'est de l'audace
Que de vouloir vivre parmi vous

TATOUAGE MAISON

Fuck the family
Gravé au compas
Sur ton avant-bras
Dans le hall d'entrée
Avec colonel Moutarde

CANNELLE FESTIVE

C'était Noël pour tout le monde
Les heures passaient
Pis ça sentait
Le *Glade* à la cannelle
17 ans en jeans trop *tight*
J'filais croche

***

Quand la peau déchirait
Ça s'ouvrait comme un cadeau
Elle roulait sur elle-même
Frisottis de ruban

C'était pas pour mourir
C'était mes vœux
Pour l'année à venir

RÉVEILLON

Trainée quand même
Bandage honteux
En d'sous du col roulé
Assise pognée
Entre mon père et ma mère
Encore en sandwich
Le sandwich de sauvetage

Pis toute la famille
Persuadée
Que mon air de beu
Était un affront

MÉMÈRE LAROCHE

Trois jours
Trois nuits
De veille
Dernier soldat
D'une reine déchue
Comme la plus vieille des fées marraines
Qui enfilait
Les villes au grain
Le bois vert qui brûlait dans sa face
Ce en quoi elle croyait avait clanché Info-Santé
Pis on est devenues des âmes sœurs
Elle avait surveillé tout le long
De toute façon a pouvait pus dormir
Ses somnifères
Étaient cachés dans mon ventre

LA NUIT À L'URGENCE

C'est le règne de l'Alzheimer
C'est les vieux
Et leur revanche
Pour toutes les années de prison
Le petit bouton rouge
Se quêter un lavement
Ou avec un peu de chance
Une suicidée sans ses gants blancs
Qui crie *Vos yeules sacrament !*

FAIRE DU GAZ SUR NIRVANA

J'avais les yeux presque brûlés pis le *timer* à six minutes
On voyageait dans notre tête
La preuve était là
Six minutes s''a tinque pis t'as vu le monde entier
Sur le midi, les gars apportaient le lunch
En carré ou en cercle comme des fourmis sur un jujube
Les gars nous aimaient
On voulait juste la paix
De toute façon
Y'auraient jamais été capables de nous aimer fort fort
Comme on en avait besoin

LE ZOO

La clinique
La route
La caverne
Et les faces
Morts-vivants
Dépliés
Déprimés
Pleins de pus et de pouces
Les poqués
Les malades
La clinique comme un zoo
La girafe dépressive
L'éléphant insomniaque
La vieille pie
Pas malade
Juste toute seule
À s'en crever les yeux
À clinique pour la pie
C'est un lieu merveilleux

AMÉLIE

L'horloge
Toute la nuit
En compétition avec les somnifères
S'ajoutait à la voisine
Dans sa chambre solitaire
Qui pour endormir ses pensées suicidaires
Sûrement
Cognait sa tête jusqu'au sang
Sur le mur de béton vert

DUSK

En décembre
Le soleil se couche à 4h30
À Lebel-sur-Quévillon
Partout ailleurs aussi
C'est la vie qui passe
Simplement comme y faut qu'a passe
Mais à quatre heures et demie
À Lebel, c'est la nuit
Pis 'est pas toujours belle

Tori Amos dans l'*PlayStation*
J'ai envie d'être dins statistiques

COCAÏNE

Lendemains tête dans l'cul à recoller
Les petits morceaux de l'ascension
La course au ciel
D'une femme-canon
Un lendemain de soleil
Qui se lève
En s'excusant pour hier
En s'excusant d'être lendemain de veille

Cette nuit, coupable, j'attendais demain
Pour me réveiller
Soulagée

Comme une grosse madame qui sent bon et
qui a le sens de l'humour

L'URGENTOLOGUE DE MONTMAGNY

Son air
Affairé
Qui me regardait
Comme un soldat d'la Deuxième Guerre
À l'hôpital de Montmagny
Tu t'sens ignare
Tu t'sens finie
Surtout quand tu saignes pas des yeux

T'iras pas fumer
Qu'il avait dit
Écœuré
D'habiter avec les morts
Per capita
C'était moi
Qu'il décapitait
Comme y pouvait

En jaquette d'hôpital dans l'auto en pleine nuit
Me sentir enfin en vie

SACRAL

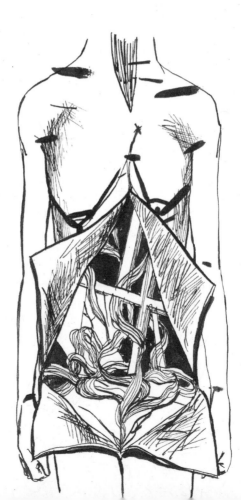

SALON DU LIVRE DE GATINEAU

J'étais grise
Pis je partais dans tous les sens
C'était l'alcool
C'était février
Qui grattait su'l tableau
Avec ses ongles
C'était si peu probable
Mais pourtant
On a décidé
De faire d'la peine à tout le monde
Juste parce que le vent
Ne faisait pas assez d'ménage
Parce que les temps longs
Faisaient ravage chez toi
On a décidé
Sans vraiment décider
Un peu trop saouls pour les principes

Couchés un par-dessus l'autre
Comme des animaux
Des fois l'instinct
Est plus fort que le bonheur
Pastel

DES MIETTES PRÉCIEUSES

On n'y était pus c'est ça?
On n'y était pus
On n'y croyait pus
On n'y croyait pas
Plus moi
Plus toi
Pas sûre
J'sais pas
J'me rappelle juste que c'était froid
Comme un rêve, une nuit, ta belle face qui reluit
Et puis, paf!
Partie
Sur le stretch de l'oubli
L'oubli de moi envers moi
Amoureuse ou junkie
Juste la question fitte pas

Revenons au froid
Ça vaut la peine de s'y arrêter

C'était un froid sec
Sans émoi
C'était le nord et sa végétation
C'était l'écorce et pis les pierres
Et chaque matin dans le cocon
C'était beaucoup plus froid qu'hier
Toutes ces paroles à s'échanger
Comme la plus formelle des affaires
Quand ces mêmes mains

Ces mains crédules
Ces doigts crétins
Ce cœur mort d'avance
Ce rebord de démence
Déroulez et gagnez
Un p'tit voyage en ambulance
Trop su'l *cruise*
Trop
Toi s'a *cruise*
Mal

L'amour c'est un réflexe
Tsé les réflexes ben ça s'encrasse
Pas d'exercice, dans l'fond du garage
Ça ramasse, ça ramasse, ça ramasse la crasse...

Mais pas de haine
Pas du tout
Même pas la moindre émotion forte
Même pas d'orage, de pleurs, de cris
Juste une virgule dedans nos vies

Et je ronge ma sérénité en emmerdant Jos Dassin
Sans penser à demain
Pfff
Moi je veux bien en récolter quelques sanglots désemparés

Feue la famille qui vient d'boster

La famille en overdose
De patcher quelque chose

La famille en dents d'scie
En bout d'ciârge
En câlisse en ostie
La famille en soupe qui bouille
> *T'aurais dû y penser*
> *Avant d'changer d'idée*
> *T'auras pas de dessert*
> *Même pas pour emporter*

La famille en good bye
So long
It was sssssooooo long
Sorry

T'as failli
Ta famille est fêlée
Y'a des failles
Des feux de paille
Pis du temps qui passe mal
Qui écorche au passage
Ton cœur mourant
Ton cœur croyant
Ton cœur piteux
Ton cœur pitance
Petites miettes de subsistance
Même si c'était des miettes, c'était des miettes précieuses
Des fois faut taire sa faim
D'un coup qu'le quotidien
Te traiterait de capricieuse

Maintenant
Mains tenant le temps

Tenant les rênes du temps sauvage
Nos présences
En parallèle sur le pas de la porte
Deux beaux moineaux qui chantent faux
Ridicules et protocolaires
Une belle couleur de fin d'hiver

Je ne saurai jamais
Moi si vile
Si vilaine
Si habile dans la peine
Laisser vivre ces gens
Qui en ont bien le droit
Et qui gravitent en électrons
Étoiles ben stones de ton aura

C'est vrai que ça enivre
Ça givre
Ça casse une vie plate

T'étais où toi pour moi
T'étais pas ben ben là

Punch out
C'est la fin des programmes
C'est une belle sortie
Dans la neige de la tv
Ta face en filigrane

Punch out
Take off

Je t'ai déjà vu pleurer
J'ai gardé le kleenex dans une enveloppe
À soir j'ai envie de t'la poster

Punch out

De toute façon c'est tout ce que tu sais faire
Puncher

C'est fascinant toutes ces choses que l'on choisit de taire

LA POMMÉE

Ça sent l'espoir à plein nez
Comme une envie de t'absoudre
Même si les failles
Même si les fucks
Même si tu fesses
Trop fort
Pis que ça casse
Des choses
Comme une envie de laisser faire
Mais que tu sentes
Toujours un peu
Le malaise
Pas de shim
Pour la table
Pas de mots
Pour la peur

PPPPPPPPPPPPPPPPPP

Deux cent mille guérisons qui te talonnent
T'époumonent
Tu cries, un silence fracas
Tu cries tout seul
Personne entend quand on est seul
Comme un orignal qui fait cramer son panache
Tu brûles
Tes doigts
Tes cils
Tes yeux
Mais pour la chaleur
On repassera

Ta tête de Pise
Ta tête de tournesol qui penche
T'es loin
Pis moi j'crie
Un p'tit peu
Dans mon ventre

SAFARI

Respirer à temps plein
En toute connaissance de cause
En volontaire

C'est pas l'air de n'importe où
C'est l'air qui plane depuis un bout
Y'a pas grand monde dans rue
Juste des enfants
Avec une moustache de fudge
Qui envoient chier les autos qui passent

PARTY PRIVÉ

J'ai peur des vieux cinquantenaires
Ceux qui te palpent le cul
Avec expérience
Si j'y mettais du mien
J'pourrais trouver ça romantique

Dansons maintenant
Qu'on en finisse

LES DÉSERTEURS

J'ai peur des gens qui partent en mai
Ce monde-là
Pas d'adresse
Qui partent avant l'été
Comme des stratèges
Ça réduit à néant
Tout ce temps
Ces heures creuses
Moi heureuse
C'était-tu vrai?

OFF POÉSIE

On est tous drogués
Les nouveaux poètes
Les nouveaux poèmes

Du haut de vos lexiques saignants
De vos déboires amoureux
Que vous tenez en vérité
Que vous donnez en exemple
Vous le savez bien
Ce qui n'est pas de la vraie peine
Comme un inspecteur de film qui trouve un indice
Vous cernez l'imposture
Félicitations sincères

Comme dans les danses du secondaire
Les poètes ne peuvent pas se coller les mains
Sur le cul de leurs poèmes
Pas d'amour sale
Pas de dégât qui dégouline

Vos concours de *Scrabble*
Vos festivals de cochons qui toussent
Vos bouquets odorants
Vos années incomprises jammées dans gorge
Me donnent le goût d'aller fourrer dans les toilettes

GAIEMENT COULER

En pleine connaissance de cause
Se laisser aller avec l'autre
Dans les méandres d'une psychose
Où c'est la vie qui punch out de la vie
Et où les ecchymoses
Sont des traces dans la neige
Comme une preuve
Qu'il y a un chemin
Que tu l'as déjà pris

S.V.P. rembobinez

TRAVAUX COMMUNAUTAIRES

Assise à côté du calorifère
La faim
La faim que j'ai pas
Pas par choix
Juste pas faim
Pour résister à quelque chose
La faim qu'on attend en ligne
Dans notre tête
Comme en prison

Ou au ROC
Ils parlent de Jésus là-bas
Mais faut juste mettre à off
Tu ne les entends plus
Tu n'écoutes plus rien
Et tu manges comme un roi
Du pudding *glow in the dark*
Gracieuseté de l'épicerie
Parce que ça se vendait pas

ARYTHMIE

Les âges passent et je t'enfante
Je te grossis dedans mon ventre
Je me vieillis et on se ment

Je n'oublie pas les fois
Où l'ampoule flashait
Je n'oublie pas les fois
Où je suçais tes doigts
Pour lâcher la suce

Je me grandis et tu vieillis
Je t'aime encore
Maladroitement

Tu m'as suivi dans ma noirceur
Tu as mangé dans mon assiette
Fallait pas trop lui faire confiance
À ton lombric ombilical

Deux trois passe-droits
Une chicane par mois
Comme un arbre qui pousse croche

Je t'aime mal
Amour en bois
Maman, maman
Dis-moi pourquoi

DEVANT ELLE

Entassée dans moi-même
En stand-by pour du gras
Amour en os
En stand-by comme son chien
J'attends un signe d'attention
Même pas d'intérêt
Juste d'attention
Une histoire vraie
En chique de viande

LA FAMILLE ADAMS

T'écris son nom
Sur ton mur
Ta chambre au grand complet qui suinte
Toute la saleté qui s'accumule

Ben loin dans l'amour
L'amour filial
Un dossier pas classé
L'amour tout court
Que t'as compris tout croche

Ça fait le cœur frosté
En vitre de char
Toi tu t'en fous
Tu grattes une *stripe*
Pis tu décolles pareil

Quatorze ans
Accidents
À tout bout d'champ

À MATIN

Le vent souffle si fort
Que j'ai vissé la vaisselle sur la table

Le moment présent
M'attend
Au boutte de la semaine

ACTE DE NAISSANCE

Maintenant
Je suis maman
Je prends vos bras
Sans consentement
Je les embrasse
Et votre tête
Je suis une mère
Je suis abri

Les séductions
Ces insipides
Sexe qui pue
Irréversible
C'est déjà loin

Je suis maman
Sincèrement
Je vous touche
Légitime

MAMAN TOUNDRA

Comme une mère ours polaire
Prête à tacher le blanc de sang

Je suis toute répandue
Par terre

Boom Boom pour s'endormir
Ça fait des enfants dépressifs

Moi pis mes osties de pinottes
Moi pis ma pomme coupée en deux

Moi
Au souper
À retenir un sanglot
D'avoir juste moi à donner
Pis des légumes verts
Pour le fer

PETIT BROUILLON

Tu veux pas
Lui y pousse

Tu l'veux pas

Tu veux pas lui donner
Les 24 chiens
La viande morte
Les os partout

Ni ces matins
Où ton réveil te déçoit
Tu veux juste pas

Mais les signes
Ça comprend pas les signes
Lui y pousse
Parce que chacun suit sa ligne
Parce que la fécondité
C'est pas un choix
C'est une fatalité

LE TI-JÉSUS

Je ne vais plus crier
Promis
Je suis fatiguée
Je suis répandue

Quand j'aurai le dos tourné
Je t'aimerai comme une mère
Tu seras déjà au secondaire
Et moi je serai vieille et moche

Je ne peux pas tenir ta tête
Y va falloir que tu sois fort
J'te promets rien
Mais je veillerai
Silencieuse

À attendre une guerre où me battre pour toi

POSTES CANADA

La folie qui débarque
Comme un dealer qui s'la pète
Un délire
En timbres-poste du Canada
Des images olympiques
De patin artistique
Les costumes sont fifs
Mais les filles sont belles

Toutes lichées, toutes propres
Comme celles qui s'assoient en avant à l'école

INSATISFAITE

Un puits sans fond
Sans eau
Une terre zonée verte

Inassouvie
Un chameau su'l B.S.
Un chapeau sur une tête qui crie
Craving de sexe
Pis de gâteau

Insatisfaite
Je pète mon show
Pis je reviens
Toute seule
Sorry
Comme une taupe braillarde
Qui trouve pas son trou

MONSIEUR MADAME LES MISSIONNAIRES

Pardonnez-moi pour ma misère
Je vous promets c'est temporaire
Je voudrais bien votre pitié
Qui dissout pudeur et fierté
Pour du pain dur comme d'la brique
Donné par l'épicerie
D'une main héroïque
De toute façon
Y'allaient le jeter
Les pauvres aident à récupérer
De toute façon c'est jamais frais
Dans notre assiette
Dans notre manger
Dans nos cerveaux
Dans nos souliers

Porte-étendard d'une pauvreté standard
J'avale le B, le S passe mal

VOUS DÉRANGER

Nous n'avons surtout

- Rien à voir avec vos tempêtes de temps qui passe et prend toute la pla
  Qui bouffe les rêves des amours infinis

- Rien à voir avec vos cœurs ecchymoses qui font grandir le supplice

- Rien à voir avec ce goût dégueulasse qui se cache dans votre bouche

Vous ne voyez qu'un reflet de notre soleil
Sur vos nuages gras
Sur vos coussins gonflables et vos amours palpables

...Vos tristes amours palpables

JEUX DE SOCIÉTÉ

Ces promenades en auto
Convaincus
D'aller quelque part
Où la vie changerait

Le parking de l'appart'
Tout en bas du serpent
Le plus long de la planche
Les ballades du dimanche

ATTERRISSAGE RATÉ

Assise par terre dans la cuisine
Plus proche du sol
Le crash fesse moins
Assise par terre
Avec les vers
Les miettes de pain
T'es où câlisse Dédé Fortin?
On aurait pu s'saouler à mort
Pis s'endormir dans notre bain

Chu où?
Chu où ostie? Que tu crierais
Mais tu cries pas
Parce que tu brailles
Tu brailles comme une vache
Sur le règne animal

Tu hibernerais tes lenteurs et l'odeur fétide du B.S.
Qui plane au-dessus des plats que tu cuisines
Tu hibernerais mais t'es trop laide
Trop laide en dedans
Pour jouer la belle au bois dormant
C'est-tu chimique?
C'est-tu l'époque?
C'est-tu la paresse de ta tête
Qui t'crie *Sacre-toi par la fenêtre?*
Assise par terre
24 heures avant tes 28 ans
C'est dégueulasse de vieillir

Tu penses
À toutes les grosses madames
Qui charrient leurs caisses de formulaires
Qui ont toutes joui
De te dire *Non*
Qui ont toutes joui comme des cochonnes
Qu'y'ait pas assez de cases pour mettre ton nom

Tu penses au monde
Qui te regardent tellement croche
Que ça penche leurs têtes
Comme dans un manège
Comme dans le ménage que tu ferais
Pour que la saleté ne se reflète plus
Dans ce miroir où tu veux te faire belle

Assise par terre
Pour pas devenir folle
Tu souris à ton p'tit garçon
Et tu te sens traître
De lui offrir ce monde
Où les absents de tête
Ne perdent pas la raison

Donnez-nous aujourd'hui
Des racines de pissenlit
Qu'on se suicide en mangeant des fleurs
Donnez-moi aujourd'hui
Un p'tit peu de répit
Que j'plie mon linge
Que j'fasse des lunchs

Des osties de gros lunchs
Qui cacheraient l'horizon
Le temps que j'reprenne mon souffle
Redessiner le contour de ma tête en sloche
Ma tête en scratch
Un peu de scotch
Deux trois *Scotch Tape*
Une guérison parmi tant d'autres
Chez les humains c'est une mission

Crie-moi mon nom dedans ma tête
J'oublie facilement
J'oublie facilement
J'oublie facilement
Crie-moi mon nom sur la galerie
J'me sauverai plus jamais promis

Assise par terre dans la cuisine
Le goût d'la mort dans l'fond d'la bouche
Je fais un hold sur ma détresse enfantine
Y'a un p'tit gars qui faut qu'y s'couche
Je trouve la switch
La mets à off
La même déprime mais en mode soft
Demain   Demain
C't'un autre jour
J'vas p't'être finir par voir le bout
J'vas sourire d'un bord
Y croire ben fort
Peut-être passer d'assise à debout

ISABELLE

Les idées brumeuses font la tête en nuages
Vous étiez certainement le plus beau paysage
Je ne vous tutoie plus
Pour faire de l'espace
Même si vous ressassez la couleur de mes seins
Vous le méritez bien
Vous et vos sourires
Ceux du moment de l'impact
Pour que l'on sente mieux la déchirure
Qui vous rassure et qui vous berce
Pleine de mélodrames
Pleine de compassion du Dalaï-Lama

De l'amour à temps partiel
C'est ce qui se vend le plus
J'ai appris à me réchauffer
Dans vos étreintes froides
De gars à moitié là
Chacun trouve son compte
Mais je reste une salope
N'est-ce pas ma chère cousine
Salut tout le monde
Continuez de lire *Châtelaine*
Ma mort fera un dossier-choc

LA MADAME DU B.S.

La rancune, la rancœur
Elle a pas de cœur la madame
Elle a pas de cœur
Pas de tête
Et un énorme cul
L'usure lui donne rien
Même pas la sagesse
Que les proverbes lui promettaient

ON ENTENDRAIT UNE MOUCHE

C'était le calme
À ne savoir qu'en faire
Se chercher des malheurs
Pour qu'au moins le plexus
Ait de quoi faire mal
Une douleur quelque part
Où se terre la vie

LAVABO

J'en allumerai
Des chandelles à la fenêtre
Pour *highlighter* le deuil
Faire flasher le malaise
Je me brûlerai les cheveux
En expiant mes erreurs
Je me laverai les mains
Pour que passe par le trou
Le petit trou innocent
Du grand lavabo blanc
Les erreurs du passé
Celles qui tachent les doigts
Et ces doigts qui se perdent
À essuyer les yeux
Foutus doigts qui se perdent
À chercher la champelure

SOLAIRE

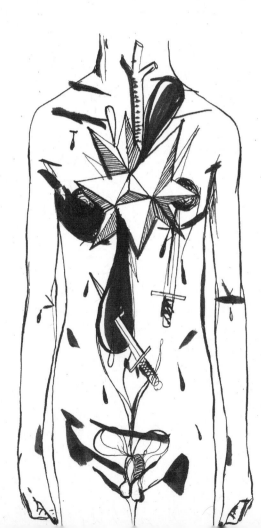

DISSECTION DE L'OUBLI

Ça commence au plexus
L'origine de la douleur
Le plexus solaire
Assailli d'un orage, du tonnerre
Et ça monte dans la gorge
De travers

Pleurer
Pleurer de pleurer et de n'en plus finir
Mourir
Un p'tit peu
Au bout des doigts
Dedans les yeux

Mourir
Une centaine de fois par jour
Une centaine de tes morceaux
Qui ont tous perdu leur numéro
Et qui se battent pour faire la loi
La loi du plus fort
L'amour est mort
C'est lui qui survit
C'est lui le plus fort

Dans chaque auto qui passe en sens inverse
Chercher sa face
Chercher sa tête de gars parti
Parti pour rien, pour toute la vie
Comme un chien

Pas d'médaille
Un vulgaire être humain
Qui s'absentera d'à côté de toi
Demain
Et tous ces autres jours qui passeront
Demain
Pas là encore mais que de tout ton cœur, ton corps
Tu devines misérable

Demain
Que tu passeras
Trois fois
Passera
Mille fois
Interminable

Comme hier
Que tu rembobines et te remémores cent fois
Amère
De n'avoir été rien de mieux que toi
Il est parti, il est plus là

Ta peine
Ridiculement vaine
Ta peine qui coule sur toi comme une pluie d'été qui
éclate en surprise
Ta peine et pis ta vie
Toute croche dans tes valises

Allez sauve-toi
Décampe

Avec ta gueule de morte-vivante
Pendant que lui, il ne l'est pas

Tu te dis que tout, oui
Serait plus facile s'il était mort
Mais c'est mal mort
C'est trop fatal
Les gens aiment pas quand tu dis mort
Ça fait malade
Ça fait drastique
Faudrait pas trop rendre ça public
Il est parti
T'as rien à dire
C'est ça la vie des fois, souffrir
Bienvenue dans le monde des statistiques
Tu suis le graphique du grand classique
Et tu sens cette histoire sacrée cette histoire magnifique
Se diluer dans l'océan banal
De tous ces gens qui ont eu mal
Déjà
Avant toi
Mal d'un amour charcuterie
D'un amour vertige et saccage
D'un amour qui scrappe, d'un ravage
Commun
Comme la mort de ton chien
Qui te fait de la peine seulement à toi

Il est parti, il est plus là
Alors avale
Obstine-toi

Saoule-toi
Détale
Décrisse
Décroche

Et ton corps lourd comme une roche
Que tu tirerais dans la rivière
En punition
En châtiment
Pour avoir taché de ton noir
Tout barbouillé cette grande histoire
Avec tes taches de petits cauchemars
Les gens aiment pas les p'tits cauchemars
Ils veulent des choses qui parlent d'espoir
Avec des gens qui parlent au « Je »
Qui parlent au boutte
Qui mangent leurs croûtes
Et qui ne claquent pas la porte
Et qui ne pleurent pas le matin
Et qui ne disent pas *Reviens*
Comme une vieille pute défraîchie
Qui veut t'faire un rabais parce que tu lui as souri

C'est fini, c'est over
Baisse ta tête, ferme tes yeux
C'est la vraie vie et puis son grand sourire
Qui te dit *Tiens-toi ben, tu vas pas en mourir*

ASSEZ FORT POUR UN HOMME...MAIS CONÇU POUR UNE FEMME COMME NICOLE

Comme si me faire baiser
Faisait office d'analgésique
J'avais de ce pas décidé
D'en faire une discipline olympique

LA DISCIPLINE OLYMPIQUE

Passez-moi sur le corps
Et je profiterai
De vos yeux révulsés
Pour me faire accroire
Que vous êtes comblés
Par ma petite voix grave
Et mon charme de putois
Pute de bois
Lamentable
Tous vos pénis
En collection
Faute de macarons

FAST FOOD

En chair
En os
En peau claire qui me dit : *Viens-t-en*
Une lumière qui me dit : *Viens-t-en*
Le Désir
En feu
En roc
En bloc de ciment qui arrête la course
Le désir en gros ours puant
Tu vas te souiller les mains, c'est grisant
Le désir d'être ailleurs, maintenant

Le désir qui t'embarque, pas longtemps mais ben fort
Le désir matamore
En *dans l'cul* matrimonial
Le désir animal, animé, anémique
« Du pain des jeux du désir et du fric »

Parce que l'reste, ben, c'est l'reste
Pis ce soir le reste, y'est loin
Je suis loin
Je suis ivre et langoureuse
Moi aussi Frédérique je m'en fous du monde entier

Le désir en *plaster* ben collé sur les yeux
Y fait noir, je suis saoule
Le désir en p'tite moule
En hors-d'œuvre pour désabusée
En hors d'ondes pour dévergondée

Vouloir être voulue
Vouloir être
Être vue
Vouloir se mettre
Quelque chose sous la dent
Quelque chose de consistant
Sex is the law
Tout le monde dit ça
Le désir comme tout le monde chaque seconde
Les gens s'aiment, se veulent, se baisent et se trompent
Le désir et la honte
Le désir et la honte

Toi, oui, toi
Prends-moi
J'vas t'montrer comment
Même si tu mens je mens aussi
Prends-moi, c'est fait pour ça la nuit

Le désir en cul-de-sac
Ces matins comme des claques
Open house sur mon corps
Le désir et la mort

Le désir juste pour voir si encore
Si j'pas laide, si j'pas morte, si on m'aime
Si la vie vaut la peine

Toi, oui, toi
Prends-moi
On va s'venger de l'amour ensemble

Et on va rire parce qu'on s'aime pas
Et je vais repartir seule
En pleurant en cachette
Le désir en dernière allumette, en dernière puff, en dernière bite
Le désir et la fuite
Le désir narcotique
tic- tic- tac- ching- ching- clic
Pour les fois où ça sheere
Peut-être pour moins souffrir
Peut-être parce que mon enfance, mes ovaires
Ou la lune en Sagittaire

Le désir en vagabonde
Savourer les secondes
Savourer le moment
Être ailleurs un instant
Dans les bras de quelqu'un
Qui au fond

Est imbécile
Le désir puéril
Je finis par le haïr
Celui qui me prend et que je désire
Je finis par le détester
Celui qui me prend sans jamais me garder

SOMMEIL

Ce soir, je dors dans le creux de tes mains
Les voisins, les bills et la vermine
Les assiettes séchées dans la cuisine
La machine à café qui ne veut plus couler
Me font croire le pire
Je voudrais m'en aller

Ce soir, je dors dans le creux de tes yeux
Tu me regardes convaincu
Je te le concède : ici, c'est laid
De toute façon
Même le beau temps ne serait pas vrai
Je suis pas bien
Si on partait?

Ce soir je dors dans le creux de ton cœur
J'ai tout noué et rassemblé
Plions bagages et sauvons-nous
Vers la mer
Plus large

ASTHME

Je vais te manger la tête
Enlève ta face de mes cheveux
J'ai même pas l'odeur
Même pas un soupçon
Du réconfort
J'sais pas pourquoi j'ai manqué de souffle
Quand on dormait en parallèle
Peut-être que je m'empêchais trop de te dire
Que je mange des têtes
Je le fais brillamment
Jusqu'à ce que mort s'ensuive
Ou l'automne

Ça dépend des tragédies

PETITE SALETÉ DANS L'ŒIL

Ces mains qui n'ont pas touché
Ces yeux qui n'ont jamais vu
Tu n'as pas existé
Et je n'ai pas de peine
Non! Je n'ai pas de peine
Je n'ai rien à pleurer
Toute nue
En dessous d'un t-shirt à toi
Que je ne t'ai pas redonné
Que je ne te redonnerai pas
À être là
À ne pas oublier
Qu'il y a encore la fin du monde
Mais plus d'endroit où se terrer

Comme un bon vieux film dont on devine la fin
Comme un fil décousu qui laisse paraître un sein
Un dessert ramolli
Une dentelle défraîchie
Un plaisir qui n'attendait plus l'autre
Et l'autre qui n'arrivait pas
Puis, tout d'un coup, ce fatidique matin
Où regarder mon visage ne t'a plus ému

THE ODDS

C'est juste là, logé là
Maman maman
Dis-moi c'est quoi
The Odds
Si tu savais, The Odds
Si tu savais, tu aurais peur

Si tu savais, The Odds
Les chances jouaient aux dés
Un petit gin
Un p'tit cigare
Les chances jouaient la fin d'l'histoire

Si tu savais, The Odds

Que j'crie fort dans mes mains

Pendant que les poules pondent
Un renard écharogne
Des ours polaires mourants
S'amourachent, deux passants
Et la vipère se saoule
À petites lampées
À petites gorgées
Une pomme qui va cuire
Une tarte va flamber
Un espoir va mourir
Un autre ange va brûler

Va-t'en un peu
Mais que j'te sente encore dans l'dos
Mais que j'te sente encore dans l'corps
Juste un petit peu plus loin

Oui
Sentir
Pour pas mourir en dedans
Devant une assiette de *TV dinner*
Et puis une émission qui parlerait de la mer

Les errantes ça reste pas
'Sont comme l'alcool fort
Aux lendemains douloureux
T'en veux plein
T'en veux plus
C'est un trip
Exulter
Si tu savais, The Odds
Le retrait s'organise
Les chances endormies
Le verglas sur mon char
Je ne dors plus la nuit

Va-t-en
C'est ta peau, va-t-en

C'est ta peau que tu joues
The Odds
C'est ta peau que tu vends
Et tu la sais ta tête

Ta tête dans tous les mois d'l'année
Comme un manège
Comme une trompette
Qui s'met comme ça à raisonner

Va-t-en putain
Avant qu'le feu s'en mêle
L'amour est sale
Comme un vieux poêle
Qui te menace de s'embraser

The Odds, une autre *casualty*
Dans l'horizon un peu terni

Si tu savais, The Odds
Tu ne le ferais plus

Au moins pour les autres

AVEC UN NINTENDO EN CADEAU DE MARIAGE

Petit matin miséreux
À cocher les mauvais hiers
Et les lendemains
Qui promettent jamais rien
Même pas une p'tite promesse
Qu'on s'patente une mission
Aller chercher l'Oracle
Ou ben *Private Ryan*
Nous trouver une raison
Bidon
Pour pas s'avouer vaincus
Par le quotidien

P'TIT FUCK

Toute la beauté
Nous a laissés
Nous chicaner tout seuls
Elle est partie
Chercher consolation
De nous voir baiser
En canon
Moment *plaster*
J'peux-tu dire ça à télévision?

En désespoir de cause
Y'a pas d'mal
Ça peut jamais durer toujours
Ça nous enlèvera ces moments
À devoir trouver
Les mots

QUAND J'TE PARLAIS DANS L'OREILLE (PRISE 1)

Que je faisais des beaux poèmes
Tu disais rien
T'écoutais
Comme si j'allais sauver les meubles
Comme si c'était vrai

J'vas te manger la tête
Je suis une petite badluck
Qui vit sa vie de p'tite badluck
Et qui remet pas le CD dans l'*case*

Déjà en deuil
De ces contacts qu'on fera pas
Les fusions qu'on n'aura pas
Les avions qu'on prendra pas
Des saisons…
Bon, tu comprends le principe
Comprends-tu?
Sais-tu qui j'suis?
Veux-tu que j'crie?
Comme ça en plus de le savoir
Tu vas un peu avoir la chienne

Oublie-moi, oublie ça
Même si j'te fais des signes trois X
Même si j'te sens jusque dans l'dos
Même si juste exister
Juste le fait qu'on existe
Ça me crisse à terre de bonheur

PETITE ODEUR DE BRÛLÉ

On dort-tu ensemble?
Juste pour faire semblant que c'est samedi pis
Qu'on est passé à travers la semaine

On dort-tu ensemble?
Pendant que la bourse fait des affaires sérieuses
Pendant que plein de monde innocents meurent
Atrocement
On dort-tu ensemble en morts-vivants?

Pour graisser le moteur
Pour faire de la peine à nos anciens amours
Pour que le feu dure toujours
Comme dans les annonces de parfum

QUAND JE TE PARLAIS DANS L'OREILLE (PRISE 2)

J'espérais que ça se loge
J'espérais que ça reste pris
Que ça résonne
Comme une citation de toilette
Que tu te répètes
Pour tenir bon

Reste là, bouge pas
Je te promets, ça spinnera pas
Faut juste que j'pleure un peu
Dans un coussin du sofa
T'auras qu'à mettre tes mains sur tes yeux
Ou tes yeux dans tes mains
Et tes oreilles dans tes poches
Et tes runnings qui courent vite
Pour aller faire le tour du bloc

C'est un moindre mal
Puis l'ordre reviendra
Et nous serons intacts

J'T'AIME MA BELLE

Tu r'viens-tu?
J'ai préparé les couvertes
J'ai installé une chaise
Devant la fenêtre

Tu r'viens-tu?
C'est la fin du monde dans 10 minutes
J'veux pas mourir à sec
On va chasser des loups
Avec mon BB gun
Pis on va s'faire des coats
Y va faire chaud
Dans not' bunker
Les mains mêlées dans tes cheveux
J'vas t'croire tout l'temps
Quand tu vas dire
J't'aime
J't'aime ma belle
Ma brune
J't'aime en continu
Pour bumper les temps gris
J't'aime ensoleillé avec des passages nuageux
Tu diras « des passages »
Ça fait moins grave
Tu r'viens-tu?

Tout le monde rit d'moi ici
L'Errante
Assise

Couchée
En camping
Dans leurs vies
J'l'ai entendu
C'est tout' pas vrai
Les temps qui courent
Les épidémies
Le truc de la cuillère
Quand t'as le hoquet
Tu r'viens-tu?

Chu rendue douce
Quand j'fais à souper
Chu rendue douce
J'te r'pousserai pus
J'ai les mains propres
J'ai mis des bas
J'prends soin de moi
Tu r'viens-tu?

PING-PONG

Ce quotidien
En attente de la paix de l'autre
Jusqu'à ce que l'autre ne revienne plus
À ce moment précis
Je n'avais plus de peine

FEU, LE FEU

Ces yeux qui me regardent comme si j'avais pu faire mieux
Ces yeux lourds de conséquences
Ton cœur qui tire sa révérence
J'avais d'autres choses à dire
Mais t'écoutes pus
Depuis longtemps

Mon amour
Des cendres
On appelle ça des cendres

MIETTES

Ne ris pas de mes miettes
Je sais où les remettre tu sauras

LA FILLE PAS D'FILTRE

La fille pas d'filtre
C'est moi, la fille pas d'*corking* dins craques
C'est moi
La fille pas d'filtre, avec du vent dans tête
200 km
200 miles à l'heure
Qui *rev* dans l'fond comme un gros moteur

Réponds
J't'appelle pour que tu m'sauves de l'hiver
Que tu m'serres
Que tu m'embarques
La fille pas d'filtre
L'effet d'une claque
Une craque dans l'windshield
La fille pas d'shield
Juste une fêlure profonde
Un stigmate
En tache de naissance
La fille pas d'sens
Qui aime à sens unique
La fille qui freak quand tu l'aimes pas
Comme quand Jésus tripait sur moi et que déçu et amoureux
Il me cassa en trois
La fille
La mère
La putain
La fille à qui tu demandes d'aller promener ton chien

Réponds
J't'appelle pour que tu m'dises :

Viens dormir avec moi, viens t'coller contre moi
J'vas t'protéger, j'ai des gros bras
J'vas t'flatter les cheveux
Te parler de nous deux en forme de deux, en forme de un
J'vas regarder ton dos courber par l'extase quand tu jouiras,
pis j'vas fixer tes yeux quand le sexe nous scellera
Pis après, j'vas t'parler d'amour
Juste pour pas que tu te sauves en disparue
Parce que la terre veut juste ton cul et que le monde te laisse
des traces sur les bras
Mets pas ta main devant ta face
Regarde-moi

J't'appelle pour que tu m'dises ça
Que tu m'inventes une raison de pas tout' crisser là
J't'appelle comme ça sans avertir
Question de t'déranger
Question de m'faire souffrir
Plus vite
Pour te d'mander de m'sauver
Avant de m'sauver
Avant que t'aies trop peur et que tu partes de moi
Que tu m'aimes moins quand ton regard baissera
À mon passage
Je suis la fille, la fillette
Trois fois passera
Quand t'auras eu trop peu et que le manque saignera

J't'appelle pour te dire
Arrête d'être pas là
Arrête de t'sauver, j'vas te traquer, chu comme ça
La fille qui décrisse ton tiroir de bas
La fille qui tire à bout portant quand a s'fait dire
J'te porterai pas
T'es trop pesante, trop chambranlante, trop hésitante
J't'appelle pour pouvoir te raccrocher au nez
C'est celui qui aime moins qui raccroche en premier

La fille stockée
Dedans son char
Qui attend une craque à travers les stores
Juste pour voir si tu r'gardes
Si tu m'attends des fois
Quand le temps passe lentement
La fille couchée en étoile sur le prélart
La fille dégât d'eau dans la cave de ton corps

Réponds donc
La fille qui attend un baiser papillon
Un p'tit kick
Un p'tit snack
Une soirée dans l'salon
N'importe quoi pour pas que j'craque
Des choses simples
Ostie qu'c'est bon

La fille pas d'filtre
Pas d'tact
La fille qui parle en fermière, tabarnac!

La fille pas assez
Juste un p'tit peu pas assez pour triper
Tsé
Une assiette poche qu'y faut manger
Au restaurant des consommés
C'est bien mal vu de gaspiller
Au pire après tu t'fais vomir
La fille qui t'laisse la faire un p'tit peu souffrir

Parce que tu t'cherches
Ben oui
Tu t'cherches
Parce que tu veux pas t'engager
Tsé
Ah non
Attends
Parce que t'as été blessé
Lavé

La fille *plaster* qui fait *'pause'* sur ton down
La fille *booster*
La fille *rebound*
La fille *tester*
The princess with no crown
La fille qui en a son ostie d'voyage
Mais c'est correct
Tout ira pour le mieux dans le meilleur des mondes
Parce que la fille a fini de t'attraper quand tu tombes

LE QUOTIDIEN

On s'back-tu ou on bat en retraite
Pour pas que les autres s'inquiètent
Tsé les contraires, ça s'attire pus
Y'ont annulé le proverbe
Ça faisait trop de dégâts

Je serai brève dans l'attente
Parce que j'meurs un petit peu
Ces temps-ci
Dans le manque

Y'a d'autres poissons
Ma grand-mère l'a dit à la fille du poste à gaz
Qui était triste à cause d'un con

Je te sourirai et toi t'auras cette face que tu fais
Quand t'as une question dans l'œil et le courage à off
Une autre lavette
Un autre lavage
Le quotidien comme un mirage
Dans le désert, tu pisses à terre
On repassera pour le ménage

LE LYS

Elle est là
Grandiose
Face à moi
Déterrée
Dégarnie
Toute trempe

Elle est là
À te décoller
Blanche lumière
Qui me lacère
Toute cette allégeance
Que je savais pas
Faudrait-tu que j'me pousse?
Elle embrouille la ligne
Tout d'un coup
Engagé
Bell peut vous aviser si la ligne se libère dans les 30 prochaines années

Parti loin, partout où tu aurais pu être autre
Dans les cirques pis les marchés marocains
En Antarctique
En traîneau d'chien
Et tu laisseras mourir les fleurs
Tu les laisseras mourir
Parce que l'air est trop dense
L'air qui plane rase le plancher en *cushion floor* décollé par la vapeur de nos orages

Notre havre de pisse
Notre dépotoir
Notre *C'est tout' c'que j'ai à t'donner mais on va s'aimer, ok? Promis*

T'aurais pu la suivre
Mais t'es celui qui reste
Je suis le choix du prisonnier
Je suis le plan B
Je suis plus là du tout et je passe à travers toi comme dans un
fantôme de film
Aucun combat, elle revient dans toi, lentement, sûrement
Comme si jamais elle n'était vraiment partie

J'aimerais me dissoudre
Et peut-être cesser de me sentir moi
Toute cassée en poussières sales

NE RÉVÈLE QUE LES YEUX

On s'haïssait
En se fixant
On pouvait voir clairement
La haine danser comme une salope
Sur le poteau de l'amour

Les batailles duraient cinq minutes
On bûchait de nos *best*
Les passions de jeunesse
Mais il restait toujours
Un peu d'amour
En p'tit coussin
Pour s'accoter
Pis écouter un film

MES ESPACES SOLAIRES

Le jour s'arrête et met les mains dans ses poches
Impuissant
Comme d'habitude

Je te voudrais dans mes espaces solaires
Je te voudrais dans mes espaces

Exact
Comme d'habitude
Pour que le temps file sans dégâts
Sauvée par ton exactitude

Je te voudrais dans mes espaces solaires
Mes espaces brouillons
Mes espaces trop clairs
Pour que tu y remettes l'Ordre
Comme d'habitude

Oublie le reste je m'en occupe
Autrement, notre esprit n'a plus de cause
Je te défendrai, la voilà ma promesse
Je défendrai ton existence

Je te voudrais dans mes espaces
Solaires
Je t'y ai fait une place toute propre
Tu t'y recroquevilleras durant mes tempêtes
Comme d'habitude

LES SIGNES

J'ai mis mes mitaines sur tes bottes dans l'entrée
Ça va sécher comme ça
Ça veut rien dire
Mais en même temps...
Tsé, les signes

C'est correct si tu veux attendre
Le petit bonhomme blanc
Qui flashe pour dire
Ok, c'est bon
Tu peux traverser, sucker

Les décisions
J'pas amanchée pour ça
Moi je suis
En suiveuse

Puis un jour y fait soleil
Et je pars sans tarder
Pas pour faire du mal
Pour pas faire de mal

L'ACADÉMIE FRANÇAISE SE FAIT SÉCHER LES DENTS

La musique qui t'rappelle
Tous les voyages que t'as pas faits
Tout ce que t'as pas appris
Dans ta longue vie
Maladroite

Butinante
Hypothéticienne

En attendant
Le fait
Musical
Encastré dans ta tête
Lave-vaisselle symphonique
Le fait qui joue en loop

Il est cinq heures à chaque jour
Et tu ne rentres pas souper

CONCLUSION

Au risque d'écorcher mes jours
Au risque d'être femme à la mer
Je le consens, c'est sale l'amour
Mais c'est quand même ben chaud l'hiver

l'ÉCROU

À PROPOS DE L'AUTEUR

Autodidacte, Marjolaine Beauchamp a commencé son parcours au sein de la Ligue de Slam de l'Outaouais pour remporter le titre de championne du Québec en 2009 et vice-championne mondiale en 2010. Ses textes et poèmes ont été diffusés et performés à la Première Chaîne de Radio-Canada, dans le cadre du projet PIB avec l'ONF, au Festival Voix d'Amérique et en première partie de Richard Desjardins entre autres. Elle remporte en 2009 le prix de la relève du C.R.C.O. en Outaouais et compte sur les autres prix pour payer ses dettes de poker et une accumulation de contraventions.

Déjà parus aux Éditions de l'Écrou

Avant qu'le char de mon corps se mette à capoter
Poèmes 1992-1999, *Jean-Sébastien Larouche*, 2009

Les heures se trompent de but
Virginie Beauregard D., 2010

Jonquière LSD
Shawn Cotton, 2010

Gyrophares de danse parfaite
Daniel LeBlanc-Poirier, 2010

achevé d'imprimer en mars deux mille douze
dans les ateliers de l'Imprimerie Gauvin à Gatineau
pour Les Éditions de l'Écrou à Montréal